BILBO
JEUNESSE

L'Étonnante Concierge

De la même auteure chez Québec Amérique

Jeunesse

SÉRIE CHARLOTTE
La Nouvelle Maîtresse, coll. Bilbo, 1994.
La Mystérieuse Bibliothécaire, coll. Bilbo, 1997.
Une bien curieuse factrice, coll. Bilbo, 1999.
Une drôle de ministre, coll. Bilbo, 2001.

SÉRIE ALEXIS
Marie la chipie, coll. Bilbo, 1997.
Valentine Picotée, coll. Bilbo, 1998.
Toto la brute, coll. Bilbo, 1998.
Roméo Lebeau, coll. Bilbo, 1999.
Léon Maigrichon, coll. Bilbo, 2000.

SÉRIE MARIE-LUNE
Les grands sapins ne meurent pas, coll. Titan, 1993.
Ils dansent dans la tempête, coll. Titan, 1994.
Un hiver de tourmente, coll. Titan, 1998.

Maïna – Tome I, L'Appel des loups, coll. Titan+, 1997.
Maïna – Tome II, Au pays de Natak, coll. Titan+, 1997.
Ta voix dans la nuit, coll. Titan, 2001.

Adulte

Du Petit Poucet au Dernier des raisins, coll. Explorations, 1994.
La Bibliothèque des enfants, Des trésors pour les 0 à 9 ans, coll. Explorations, 1995.
Maïna, coll. Tous Continents, 1997.
Marie-Tempête, coll. Tous Continents, 1997.
Le Pari, coll. Tous Continents, 1999.

L'Étonnante Concierge

DOMINIQUE DEMERS

QUÉBEC AMÉRIQUE Jeunesse

Catalogage avant publication de Bibliothèque et Archives Canada

Demers, Dominique
L'Étonnante Concierge
(Bilbo jeunesse ; 139)
(La série Charlotte ; 5)
ISBN 2-7644-0384-4
I. Titre. II. Collection. III.Collection : Demers, Dominique.
Série Charlotte ; 5
PS8557.E468E86 2005 jC843'.54 C2004-942037-2
PS9557.E468E86 2005

Conseil des Arts du Canada
Canada Council for the Arts

Nous reconnaissons l'aide financière du gouvernement du Canada par l'entremise du Programme d'aide au développement de l'industrie de l'édition (PADIÉ) pour nos activités d'édition.

Gouvernement du Québec – Programme de crédit d'impôt pour l'édition de livres – Gestion SODEC.

Les Éditions Québec Amérique bénéficient du programme de subvention globale du Conseil des Arts du Canada. Elles tiennent également à remercier la SODEC pour son appui financier.

Québec Amérique
329, rue de la Commune Ouest, 3e étage
Montréal (Québec) H2Y 2E1
Téléphone : (514) 499-3000, télécopieur : (514) 499-3010

Dépôt légal : 1er trimestre 2005
Bibliothèque nationale du Québec
Bibliothèque nationale du Canada

Révision linguistique : Diane Martin
Mise en pages : André Vallée
Réimpression : mars 2005

À *Pierre Jodoin*,
Mon Timothée à moi

Remerciements

Mes vifs remerciements à Julie Cyr et à ses élèves de l'école Louis-Lafortune, Suzanne Gaudreault, Linda Clermont, Anne Guay, et aussi à tous les généreux complices de l'école Saint-Clément. Toute ma reconnaissance à Anne-Marie Villeneuve, Isabelle Longpré et l'équipe de Québec Amérique sans qui ce roman ne serait pas le même. Merci également à Jean-Paul Jodoin, grand collectionneur de petites phrases magiques.

-1-

Soixante-trois dollars… et soixante-trois sous

Une drôle de dame attirait l'attention des piétons à l'angle des rues Principale et Saint-Zinzouin au centre-ville de Lacapitale. Elle était vêtue d'une longue robe bleue, un peu défraîchie mais jolie quand même, et portait à la main un vieux sac de voyage en poil d'éléphant. Sur sa tête, elle avait un chapeau étrange, un peu comme un chapeau de sorcière, mais avec une petite bosse ronde au lieu d'un long bout pointu.

Tous ces piétons très pressés, immobilisés devant le feu de

circulation, partageaient la même opinion : cette femme bizarrement accoutrée était sûrement cinglée. Toquée. Maboule. Capotée. La preuve ? Elle parlait à haute voix à... ses bottes !

— Je m'ennuie trop de Gertrude, confiait-elle à ses chaussures. Je voudrais tellement lui parler, la caresser, me balader avec elle.

Le feu devint vert. Les piétons s'empressèrent de traverser la rue pour courir vers l'édifice où ils travaillaient, oubliant derrière eux l'étrange dame qui semblait encore occupée à converser avec ses pieds. Nullement troublée, mademoiselle Charlotte resta seule sur son petit bout de trottoir.

— Bon. C'est décidé. Je vais la chercher ! déclara-t-elle joyeusement.

Après un moment de réflexion, elle ajouta :

— Mais avant, je dois absolument économiser soixante-trois dollars et soixante-trois sous.

Satisfaite, mademoiselle Charlotte traversa la rue d'un pas vif, déclenchant automatiquement un extraordinaire concert de klaxons, de crissements de pneus et d'injures épicées. Elle avait totalement oublié de vérifier la couleur du feu de circulation ! Trop heureuse à l'idée de retrouver sa fidèle Gertrude, sa chère confidente, mademoiselle Charlotte n'avait pas remarqué que le feu était rouge.

Il y a longtemps déjà, mademoiselle Charlotte avait confié son précieux caillou à Marie, une jeune amie qui habitait dans une autre ville. Elle allait maintenant les revoir. Enfin ! Mais avant, elle devait se trouver un nouvel emploi et économiser le prix du billet d'autobus : soixante-trois dollars et soixante-trois sous.

Fiou !

-2-

Des météorites à roulettes

— Calme-toi, Lepognon ! murmura Alexia en posant une main sur le bras de son ami qui s'agitait de plus en plus.

— Ça ne donne rien de s'énerver ! rappela à son tour Eduardo en s'efforçant lui-même de rester tranquille.

Justin-Jacob Jodoin – surnommé Lepognon parce que ses parents avaient beaucoup d'argent – serra sa planche à roulettes contre lui. Ses yeux lançaient des éclairs et on aurait dit que de la boucane de dragon allait lui sortir par le nez.

Cachés derrière une immense sculpture au sommet des cent vingt-douze[1] marches menant au nouveau Mégacentre des arts de Lacapitale, les trois amis avaient le cœur en bouillie. Ils observaient Lola Lalancette, la présidente-directrice générale du Mégacentre des arts. Leur pire ennemie sur toute la planète ! Lola déambulait parmi les invités. Elle semblait ravie. Mais pour Justin-Jacob, Eduardo et Alexia, c'était la pire journée de leur vie.

Une foule de gens très importants étaient réunis sur la terrasse au pied de l'escalier du nouvel édifice pour célébrer l'ouverture officielle des lieux. La réception

1. Note de l'éditeur : ce chiffre nous apparaît farfelu, mais mademoiselle Charlotte l'emploie si souvent qu'on ne sait plus.

était d'un chic inouï. Le champagne coulait à flots et un énorme buffet avec des escargots à la moutarde, des œufs de poissons volants, des canapés au foie de kangourou et toutes sortes d'autres spécialités sophistiquées attendait les invités. Au centre de la table très artistiquement décorée trônait un immense gâteau, une véritable pyramide à étages, nappé de crème fouettée.

Le Mégacentre des arts avait coûté treize trilliards de dollars à la population. Et selon Pauline Pressée, journaliste-vedette à *Ça Presse*, rien qu'avec le budget de l'inauguration, la ville aurait pu aménager un parc tout équipé pour les enfants de quartiers défavorisés. Pauline Pressée n'aimait pas Lola Lalancette. Quant à Justin-Jacob,

Eduardo et Alexia, ils la détestaient férocement.

Pourquoi ? Les trois amis étaient des pros de la planche à roulettes. Des fervents, des mordus, des fanatiques. Rien au monde ne les rendait plus heureux. Autrefois, ils s'entraînaient tous les jours à l'Extaz, un parc intérieur fabuleux avec des sauts, des rampes, des demi-lunes et des circuits à obstacles. C'est à l'Extaz qu'Alexia avait réussi ses premières acrobaties et Eduardo ses plus hauts sauts. Et c'est là aussi que Justin-Jacob avait mis au point son célèbre bond du dragon. Or, Lola Lalancette avait fait démolir l'Extaz, leur petit paradis, pour construire son fameux mégachose-machin.

Depuis que leur parc n'existait plus, les trois amis s'ennuyaient à mourir. Ils avaient essayé de s'amuser dans les escaliers d'édifices publics, mais chaque fois ils s'étaient fait chasser.

Eduardo, qui avait l'âme poète, disait que Lola Lalancette leur avait coupé les ailes.

Ils avaient imaginé mille vengeances. Des trucs affreux pour punir l'abominable personnage ! Mais chaque fois, ils finissaient par renoncer. Tous ces plans ne réussiraient qu'à les mettre dans le pétrin.

Soudain, le silence se fit. Le ministre de la Culture, l'honorable Jean Narachefor, s'avançait vers Lola Lalancette pour lui remettre les ciseaux en or qui devaient servir à couper un immense ruban installé au sommet des cent vingt-douze marches. Une fois le ruban coupé, le nouveau Mégacentre des arts serait officiellement inauguré.

Lola Lalancette prit le temps de sourire en regardant les photographes.

— Vive le nouveau Mégacentre des arts ! déclara-t-elle, triomphante.

À ces mots, Justin-Jacob, Eduardo et Alexia sentirent un courant de révolte parcourir leurs membres.

Lola Lalancette commença à gravir l'escalier sous le crépitement des appareils photo. Mais au moment où elle franchissait la cinquième marche, le ruban se déchira brusquement... et trois météorites à roulettes dévalèrent les cent vingt-douze marches à toute vitesse.

Dix secondes plus tard, les météorites percutaient l'immense buffet. Lola Lalancette reçut alors, en rafale : une pluie d'escargots sur la tête, une grêle d'œufs de poissons sur les joues, de grosses mottes de crème fouettée dans le cou et du coulis d'asperges un peu partout.

C'est ainsi qu'elle apparut au bulletin d'informations télédiffusé en direct.

-3-

Des poils de porc-épic plein le gosier

En sortant du bureau d'emploi, mademoiselle Charlotte esquissa un pas de danse et offrit un pissenlit au premier passant, un vieux monsieur rabougri. Elle venait de décrocher un emploi de rêve. Un emploi parfait : concierge, de soir et de nuit, au nouveau Mégacentre des arts !

L'offre d'emploi était pourtant affichée depuis des mois et jamais personne ne s'y était intéressé. Il faut dire qu'une grande partie de la tâche consistait à nettoyer neuf cent quatre-vingt-dix-neuf mille tuiles de plancher. Un travail toujours à recommencer, car les carreaux de céramique importés des îles Shik-Fouh étaient en pierre volcanique. Un matériau très à la mode mais ultra-salissant.

Aux yeux de mademoiselle Charlotte, c'était un emploi extraordinaire parce qu'en frottant les planchers, elle aurait tout le temps dont elle rêvait pour... rêver. Rêver et inventer dans sa tête des histoires de gorilles qui rotent, de princesses qui tombent – paf! – follement amoureuses, de monstres malcommodes et de vipères à ventouses. Des histoires qui lui fichaient le fou rire ou la frousse, qui faisaient battre son cœur ou la transportaient ailleurs.

▲▼▲

Quelques heures plus tard, dans une des grandes salles du Mégacentre des arts, un minuscule papillon de nuit fut témoin d'une rencontre surprenante.

— Bonsoir, mon bel ami ! lança joyeusement mademoiselle Charlotte au manche de sa vadrouille.

La nouvelle concierge s'inclina très bas en guise de salutation à son compagnon et ajouta :

— Je suis ravie de vous revoir. Oh oui ! Tout le plaisir est pour moi.

Mademoiselle Charlotte entreprit alors de nettoyer le tout premier des neuf cent quatre-vingt-dix-neuf mille carreaux de plancher. Et pour célébrer ce grand moment, elle se mit à chanter à tue-tête de sa plus belle voix.

Une voix de crapaud enrhumé ! Avec des poils de porc-épic plein le gosier. Mademoiselle Charlotte avait une foule de talents. Mais pas celui de chanter.

▲▼▲

— Que… Que… Que… Que… QUOI ?!!! hurla Lola Lalancette dans le téléphone en sortant de la douche. Vous ne les avez pas encore attrapés ? J'exige que justice soit faite. Immédiatement. Sur-le-champ. Tout de suite, bon !

— Nous faisons tout ce qui est en notre pouvoir, l'assura le sergent Serge Sérieux à l'autre bout du fil.

— Ce n'est pas suffisant, insista Lola. Trouvez-moi ces trois délinquants dangereux. Et vite. Sinon… Sinon… Sinon je vous dénonce à mon père, bon !

Le sergent Serge Sérieux n'était pas convaincu que les trois jeunes planchistes qui avaient transformé la cérémonie d'inauguration en carnaval étaient véritablement des « délinquants dangereux », mais il prit la menace au sérieux.

Le papa de Lola Lalancette était un homme puissant, propriétaire d'une centaine de compagnies aux quatre coins du pays. Louis Lalancette pouvait terroriser les ministres, faire trembler les banquiers et parfois même intimider sa redoutable fille unique. Le seul qui ne se laissait pas impressionner par lui, c'était Gros Dino. Son minuscule chien nain !

-4-

Statufiés et bouche bée

Justin-Jacob s'était élancé le premier, suivi de ses deux amis. Cent vingt-douze marches d'escalier en planche à roulettes. Ils avaient atteint des records de vitesse ! Personne n'avait été blessé, mais le buffet avait été démoli et une armée d'agents de sécurité s'était lancée à la poursuite des enfants.

Justin-Jacob, Eduardo et Alexia avaient fui vers l'arrière de l'édifice. Malheureusement, la cour était sans issue. C'est alors qu'Alexia avait remarqué une trappe dans le mur. Une grille d'aération mal fixée. Quelle chance ! En se faufilant dans le trou, ils avaient finalement trouvé refuge dans le sous-sol même de l'édifice qu'ils détestaient tant !

— Chut ! souffla soudain Eduardo.

Après des heures d'attente et de silence angoissant, voilà qu'un bruit horrible leur écorchait les oreilles. Il était pourtant tard. Tous les employés étaient partis. L'édifice aurait dû être désert !

Les enfants écoutèrent plus attentivement. C'était un son très étrange.

— Allons voir ! suggéra Alexia.

— Tu es folle ! On risque de se faire attraper, protesta Justin-Jacob.

Au bout d'un moment, leur curiosité l'emporta. Ils gravirent l'escalier menant au rez-de-chaussée et poussèrent la porte.

Puis, toujours guidés par le même bruit ahurissant, ils s'engagèrent dans un long couloir.

— Chhhhutttt ! avertit Alexia en avançant vers une porte marquée « salle d'exposition ».

Elle prit une grande inspiration et poussa doucement le battant. Ce qu'elle vit alors était tellement stupéfiant qu'elle ouvrit la bouche, mais aucun son n'en sortit.

C'était la scène la plus farfelue qu'elle eût jamais vue. Seule au beau milieu de l'immense salle d'exposition, une femme valsait avec... une vadrouille. Oui, oui. Un vulgaire paquet de cordes accroché à un manche de bois ! La femme battait des cils et roulait de grands yeux doux comme si elle était éperdument amoureuse de la chose.

Et ce n'est pas tout. L'étrange dame chantait. Et elle chantait faux. Horriblement, abominablement faux. C'était ***ça*** le fameux bruit inquiétant !

Les trois amis contemplaient la scène sans comprendre, bouche bée et statufiés ! Soudain, mademoiselle Charlotte arrêta de chanter. Et de danser. Les trois amis crurent que la mascarade était finie. Mais non ! Mademoiselle Charlotte caressa tendrement les longs poils de la vadrouille, comme si c'était la plus merveilleuse chevelure qu'on puisse imaginer, et elle lui murmura à l'oreille… euh… enfin… elle lui murmura tout court :

— Timothée ! Mon bel amour adoré… Mon étoile, mon astre, ma galaxie… Je suis aux oiseaux et mon cœur déborde de printemps.

Puis, mademoiselle Charlotte ouvrit les yeux. Elle semblait un peu perdue, comme si elle revenait d'un long voyage. Lorsqu'elle découvrit Justin-Jacob, Eduardo et Alexia, un vaste sourire illumina son visage.

— Joyeux Noël ! Euh... Non. Pardon... Bonjour. Bienvenue ! Je suis en-chan-tée de vous rencontrer, déclara-t-elle en faisant la révérence, comme s'ils étaient des gens très nobles et très importants.

Alexia était sous le choc. Eduardo avait l'impression de rêver. Dans un effort pour rompre le charme, Justin-Jacob demanda d'un ton effronté :

— Sortez-vous de l'asile ?

Les joues roses et le regard brillant, mademoiselle Charlotte ne sembla même pas l'entendre. Elle s'approcha et se mit à observer

Justin-Jacob très attentivement, comme si c'était lui, l'extraterrestre. Puis, elle examina Alexia et Eduardo avec le même intérêt.

Son œil magique lui disait que ces trois jeunes étaient dans le pétrin. Et qu'ils avaient besoin d'elle.

Là. Maintenant. Tout de suite.

Mademoiselle Charlotte esquissa un sourire radieux. Elle venait de trouver sa nouvelle mission !

-5-

Espèce de morpion moisi !

— C'est pour ça qu'on a foncé. C'était plus fort que nous, résuma Alexia.

— On était enragés, admit Eduardo.

Mademoiselle Charlotte hocha la tête pour montrer qu'elle avait compris.

Elle-même était indignée. Démolir un lieu où tant d'enfants étaient heureux ! Quelle injustice ! Quelle folie !

— Et maintenant ? Ça va ? Vous vous sentez mieux ? demanda-t-elle à ses nouveaux amis.

Mademoiselle Charlotte avait l'impression, bien au contraire, que les trois jeunes planchistes avaient le moral à plat. Et qu'ils rêvaient encore de trancher Lola Lalancette en rondelles pour la faire cuire dans du jus de sauterelles.

— Au moins, la démolition servait une bonne cause, suggéra-t-elle pour encourager les enfants. Un centre des arts, c'est chouette. J'adore la danse, la peinture, la musique, le théâtre… Ah ! *Roméo et Juliette*…

Les trois amis échangèrent un regard furieux.

— Une bonne cause ? Mais vous n'avez rien compris ! lança Justin-Jacob.

— Avez-vous trois cents dollars pour aller au théâtre ? demanda sèchement Alexia.

— Trois cents dollars ?!! Ah ça, non. Je n'ai même pas soixante-trois dollars et soixante-trois sous, commença mademoiselle Charlotte.

— Alors vous ne viendrez jamais ici pour faire autre chose que nettoyer des planchers, trancha Eduardo. Les spectacles coûtent extrêmement cher. Le Mégacentre des arts est réservé aux gens très huppés.

En temps normal, mademoiselle Charlotte aurait apprécié la richesse du vocabulaire d'Eduardo, car elle aimait beaucoup les mots. Mais pour l'instant, elle était trop préoccupée. Une véritable tempête grondait dans son ventre.

Le vent enfla, enfla, enfla. Mademoiselle Charlotte semblait prête à exploser. Et soudain, devant le regard éberlué des enfants, l'orage en elle éclata.

Mademoiselle Charlotte se mit alors à sauter à pieds joints en hurlant à pleins poumons. Puis elle fit le tour de la vaste salle d'exposition en courant à toute vitesse. Elle sauta encore plusieurs fois sur place en poussant des cris de ouistiti. Puis, elle fit deux culbutes et trois roues avant de refaire le tour du local comme si c'était une épreuve olympique. Enfin, elle s'arrêta net et poussa un long soupir d'extrême satisfaction.

— Ouf ! Ça va mieux, déclara-t-elle, radieuse.

Eduardo demanda à mademoiselle Charlotte quelle mouche l'avait piquée. Elle leur confia alors le secret de son « truc pour survivre à tout ».

— Les émotions sont de petites tempêtes qui peuvent devenir des cyclones quand on les garde trop longtemps emprisonnées. C'est toujours bon de les libérer, expliqua-t-elle.

Justin-Jacob, Eduardo et Alexia se consultèrent du regard. Puis, dans un même élan, ils se déchaînèrent. Justin-Jacob et Alexia distribuèrent de dangereux coups de pied et de redoutables coups de poing à une armée d'adversaires invisibles pendant qu'Eduardo débitait un bon millier d'injures épicées. De « face de vomi » à « patate pourrie » en passant par « morpion moisi », il s'arrêta seulement lorsqu'il eut épuisé son vocabulaire.

— Bravo ! Parfait ! les félicita mademoiselle Charlotte.

Un long silence suivit. Les trois amis étaient maintenant plus détendus. Mais, peu à peu, ils se sentirent gagnés par l'inquiétude.

Ils commençaient à mieux comprendre dans quel pétrin ils étaient.

— Nous allons y goûter ! déclara Justin-Jacob.

— Goûter ? Oui ! À quoi ? demanda mademoiselle Charlotte, l'œil gourmand. J'adore les mets nouveaux.

Alexia expliqua à mademoiselle Charlotte qu'il n'était pas question de nourriture. Ils allaient goûter… aux conséquences de leur geste.

— Le pire, c'est Lola Lalancette. Sa réputation est terrible, déclara Eduardo.

— Si on n'était pas des enfants, elle nous ferait jeter en prison, c'est sûr, ajouta Justin-Jacob.

— C'est pour ça qu'on reste cachés. En attendant… En attendant on ne sait pas quoi ! avoua Alexia.

Les enfants confièrent à mademoiselle Charlotte qu'ils avaient déjà utilisé le cellulaire de Justin-Jacob pour laisser un message à leurs parents. Justin-Jacob avait raconté qu'il passerait quelques jours chez Eduardo et Eduardo quelques jours chez Justin-Jacob. Ça leur arrivait souvent pendant les vacances d'été. Quant à Alexia, elle avait dit à sa mère qu'elle allait chez son père et à son père qu'elle était chez sa mère.

Les parents d'Alexia s'étaient séparés à sa naissance. Et depuis, ils ne s'adressaient la parole que par l'intermédiaire de leur avocat. De toute sa vie, Alexia n'avait jamais vu ses parents réunis ! Pour se consoler, elle se disait qu'un jour leur nom apparaîtrait dans le *Livre des records Guinness*. À la page du divorce le plus pénible de l'histoire de l'humanité !

— Le pire, c'est qu'on ne peut absolument rien faire ! se plaignit Justin-Jacob.

— Quelqu'un vous empêche ? Qui ? Dites-moi, demanda mademoiselle Charlotte, déjà prête à tout pour défendre ses amis.

— Non, non. C'est personne. Euh... C'est nous. On ne peut rien faire, c'est tout ! expliqua Alexia.

— Vous ne pouvez RIEN faire ? questionna mademoiselle Charlotte avec l'air de n'y rien comprendre.

Elle les dévisageait maintenant comme s'ils avaient contracté une maladie bizarre. Comme s'ils étaient couverts de pustules ou qu'ils avaient une oreille à la place du nez.

— Vous n'allez RIEN tenter pour défendre votre *spling* ?! leur demanda-t-elle d'une voix qui trahissait une immense déception.

— Notre *quoi* ? répliquèrent en chœur les trois amis ahuris.

— Votre *spling*, répondit simplement mademoiselle Charlotte, comme si ça allait de soi.

— Et c'est *quoi*, le « *spling* » ? demanda Alexia.

— Le *spling* ? Mais... c'est tout ce qui fait «*spling*», répondit mademoiselle Charlotte.

Justin-Jacob, Eduardo et Alexia attendaient toujours.

— Le *spling*, c'est tout ce qui nous anime, poursuivit mademoiselle Charlotte. Tout ce qui nous enchante, nous élève, nous ensoleille... Tout ce qui fait qu'on se sent... merveilleusement vivant. Tout ce qui nous donne l'impression d'avoir des ailes.

— En planche à roulettes, c'est comme ça que je me sens, risqua Alexia d'une toute petite voix.

Justin-Jacob et Eduardo écoutaient avec beaucoup d'intérêt. On aurait entendu une mouche respirer.

— Voilà ! approuva mademoiselle Charlotte. Pour vous, c'est en planche à roulettes que ça se passe. Pour moi, c'est quand j'invente des histoires dans ma tête. Ou des recettes de nouilles à n'importe quoi.

— Vous disiez qu'on devrait défendre notre *spling* ? demanda Justin-Jacob de plus en plus intéressé.

Pour toute réponse, mademoiselle Charlotte esquissa un sourire mystérieux.

▲ ▼ ▲

Cette nuit-là, Justin-Jacob, Eduardo et Alexia discutèrent longtemps de *spling* et de bien d'autres choses avec mademoiselle Charlotte. L'étonnante concierge leur confia des petits morceaux de sa vie et de ses multiples métiers. En échange, les enfants partagèrent avec elle leurs pires craintes et leurs plus grands rêves.

Ils s'étaient réfugiés dans le sous-sol du Mégacentre des arts parce qu'ils avaient peur et qu'ils ne savaient pas où aller. Mais maintenant, c'était différent. Ils avaient envie d'agir. D'inventer un plan pour sauver leur *spling* !

Il faisait presque jour lorsque les enfants s'installèrent dans des lits de fortune construits avec des restes de planches, de la bourre isolante et d'immenses toiles utilisées pour les travaux de peinture.

Épuisés, les trois amis s'endormirent en se répétant les paroles de mademoiselle Charlotte :

— Tout est possible, avait dit leur vieille amie.

Et quelque chose dans sa voix, dans son regard, incitait les enfants à y croire.

C'était comme dire que rien n'était perdu. Qu'au lieu de s'inquiéter des punitions ou de gaspiller leur temps à vouloir faire frire Lola Lalancette, ils pouvaient s'inventer un autre paradis de planche à roulettes.

Ils n'étaient pas sûrs de réussir. Mais c'était tellement bon d'y croire.

Mademoiselle Charlotte attendit que ses trois amis soient endormis avant de remonter au rez-de-chaussée. Elle découvrit alors que son quart de travail était fini. Les employés commençaient à arriver.

Et elle n'avait pas encore nettoyé une seule des neuf cent quatre-vingt-dix-neuf mille tuiles de plancher !

Mademoiselle Charlotte s'en inquiéta pendant un gros quart de seconde. Tout compte fait, elle était satisfaite de sa nuit.

-6-

Charmant Sympathique Plaisant

Alexia avait faim, Justin-Jacob avait envie de pipi et Eduardo s'ennuyait déjà de ses six frères et sœurs. Les trois amis avaient dormi presque toute la journée et ils attendaient maintenant le départ des employés du Mégacentre des arts pour monter au rez-de-chaussée.

Soudain, une odeur absolument exquise atteignit les narines des trois amis.

— Le repas est prêt ! annonça mademoiselle Charlotte en descendant l'escalier.

Elle ouvrit son précieux sac de voyage en poil d'éléphant et en sortit un grand plat fumant. Justin-Jacob, Eduardo et Alexia n'avaient jamais mangé de spaghettis à l'orange et au beurre d'arachide avant. Mademoiselle Charlotte avait inventé la recette spécialement pour eux et les trois amis jugèrent que c'était absolument délicieux.

Mademoiselle Charlotte laissa les trois planchistes déguster leur repas. Elle monta à l'étage et entreprit de ré-attaquer le nettoyage des neuf cent quatre-vingt-dix-neuf mille tuiles de plancher. Elle allait commencer à frotter la même tuile que la veille lorsqu'un brusque découragement l'envahit.

L'idée de travailler n'embêtait pas mademoiselle Charlotte. Pas du tout. Ce qui l'ennuyait, c'était la tristesse des lieux. Il y avait quelque chose de très déprimant, de très sévère et de très froid dans ces longs couloirs et ces vastes salles. Le tout était peut-être d'un chic fou, mais ça manquait énormément de... de...

— De *spling* ! Oui ! C'est ça ! Ça manque de *spling* ! décida l'étonnante concierge.

Elle descendit au sous-sol, trouva des pots de peinture de différentes couleurs et remonta à l'étage. Curieux, ses nouveaux amis la suivirent.

Au moment où mademoiselle Charlotte allait barbouiller d'un coup de pinceau une première tuile en pierre volcanique, Justin-Jacob cria :

— Non ! Arrêtez. Vous ne pouvez pas. Vous allez perdre votre emploi !

Mademoiselle Charlotte prit le temps de réfléchir avant de déclarer d'un ton très assuré :

— Impossible ! La dame au centre d'emploi a répété deux fois que le travail du concierge consiste à rendre les lieux propres et *agréables*.

— Mais « agréable », ça ne veut pas dire n'importe quoi, fit valoir Eduardo.

Mademoiselle Charlotte parut piquée. Elle aimait bien trop les mots pour leur faire dire n'importe quoi. Alors, de mémoire, elle cita solennellement le dictionnaire.

— Agréable : qui plaît aux sens. Charmant. Sympathique. Plaisant.

Eduardo dut admettre qu'elle avait parfaitement raison. Mademoiselle Charlotte entreprit donc son œuvre de peinture sous le regard hébété de ses nouveaux amis. C'était une œuvre tellement réjouissante et stimulante qu'au bout d'un moment Justin-Jacob, Eduardo et Alexia succombèrent à leur tour. Armés de pots et de pinceaux, ils répandirent du *spling* pendant des heures.

-7-

Du *spling* contagieux

— Qu'avez-vous envie de faire maintenant ? demanda mademoiselle Charlotte lorsqu'ils eurent fini de ranger les pots de peinture et de nettoyer les pinceaux.

La réponse était facile. Ils avaient tous les trois terriblement envie de sortir dehors avec leur planche et de rouler. Le danger, c'était qu'ils soient repérés. Des policiers patrouillaient le centre-ville même la nuit.

— J'ai exercé de nombreux métiers, leur confia alors mademoiselle Charlotte. Et parmi eux, pendant quelque temps, j'ai déjà été...

Elle baissa la voix, comme si le sous-sol du Mégacentre des arts était infesté d'espions ! Puis, elle ajouta :

— ... agent secret !

Mademoiselle Charlotte promit donc de faire le guet et d'alerter ses amis à la moindre manifestation suspecte.

Dehors, la nuit était magique. Des milliers d'étoiles palpitaient dans le ciel et la lune semblait sourire. Alexia suggéra qu'ils s'amusent dans le vaste escalier et les rampes extérieures du Mégacentre des arts. En gardant le contrôle cette fois !

Mademoiselle Charlotte surprit ses amis en grimpant très agilement dans un arbre. Du haut de ce poste de guet, entre deux lampadaires, elle assista à un spectacle de planche à roulettes absolument fantastique.

Tellement fantastique qu'elle en oublia un peu sa mission. Elle poussa des « Oh ! » et des « Ah ! » et cria plusieurs fois « Bravo ! » Ce n'était vraiment pas l'agent secret le plus discret !

Les enfants dévalaient les rampes et les escaliers, multipliant les prouesses tout en évitant les obstacles qu'ils avaient éparpillés sur leur circuit improvisé. Eduardo sautait vraiment haut, Alexia réussissait d'extraordinaires contorsions et Justin-Jacob donna à mademoiselle Charlotte un avant-goût de son bond du dragon. C'était une version beaucoup moins spectaculaire que ce qu'il pouvait faire à l'Extaz. Et pourtant, mademoiselle Charlotte en fut toute remuée.

— C'est merveilleux ! déclara-t-elle en battant des mains.

Et elle ajouta, très sincère :

— Tu as un don, Justin-Jacob. Un vrai talent. C'est précieux !

Justin-Jacob rougit. C'était la première fois de sa vie qu'un adulte manifestait autant d'admiration devant ses exploits. Mais Justin-Jacob n'était pas au bout de ses surprises. Et ses deux amis non plus.

— Est-ce que c'est à mon tour maintenant ? demanda mademoiselle Charlotte en quittant son poste d'observation.

Les trois amis la dévisagèrent comme si elle avait les cheveux verts et le teint violet.

— Je vais faire très attention, promit-elle en empruntant la planche d'Alexia.

Avant même que ses jeunes amis aient le temps de protester,

mademoiselle Charlotte était au sommet des cent vingt-douze marches d'escalier du Mégacentre des arts. Elle s'arrêta un moment pour causer un brin avec la planche d'Alexia, puis...

— Nooooon ! hurla Eduardo.

Sous le regard horrifié de ses jeunes amis, mademoiselle Charlotte dévala les vingt premières marches, debout sur la planche, mais totalement hors de contrôle. C'était vraiment épouvantable.

Après, elle sembla se rétablir un peu. Son corps s'assouplit, ses genoux fléchirent et elle battit plusieurs fois des bras, comme un oiseau, pour garder l'équilibre. C'est alors qu'il se produisit quelque chose de tellement extraordinaire qu'Alexia, Eduardo et Justin-Jacob eurent l'impression de rêver la scène.

Mademoiselle Charlotte prit de la vitesse. Elle semblait maintenant s'amuser follement. Elle accéléra encore, puis s'accroupit, prête à sauter, et... bondit par-dessus son sac en poil d'éléphant déposé là en guise d'obstacle.

Les enfants arrêtèrent de respirer, prêts pour la catastrophe. Ils imaginaient déjà leur vieille amie réduite en fricassée. Mais mademoiselle Charlotte se redressa miraculeusement et retomba – paf ! – au pied de l'escalier. Toujours debout et tous ses membres en place !

— Votre *spling* est vraiment contagieux ! déclara-t-elle, radieuse.

Justin-Jacob, Alexia et Eduardo étaient encore trop stupéfaits pour parler lorsqu'une voiture de policiers tourna à l'angle de la rue dans un bruyant crissement de pneus.

▲▼▲

Quelques heures plus tard, lorsque Lola Lalancette pénétra dans le hall d'entrée de son méga-machintruc des arts, elle écrasa sans s'en apercevoir la toute première lettre d'une phrase de Victor Hugo, un des grands écrivains de la planète, aujourd'hui mort et enterré.

Mademoiselle Charlotte et ses amis avaient reproduit en lettres géantes sur les tuiles du plancher des dizaines et des dizaines de phrases porteuses de *spling*. Il y avait des vers de poètes, des pensées de philosophes, des citations d'écrivains, des blagues, des devinettes énigmatiques et des bouts de chansons. Désormais, plus personne ne pourrait parcourir les couloirs du nouveau Mégacentre des arts sans rire, rêver ou réfléchir.

Lola continua d'avancer d'un pas pressé. Ce matin-là, plus encore que d'habitude, elle était d'humeur fulminante. Ces idiots de policiers n'avaient pas encore la moindre idée du lieu où étaient passés les trois délinquants dangereux. Et leurs parents n'avaient même pas signalé leur fuite ! Quel siècle ! Quelle société !

En route vers son mégabureau, Lola échappa par mégarde son chic foulard de soie. Elle se pencha pour le ramasser et poussa aussitôt un cri épouvantable. Un cri absolument abominable.

Sous ses pieds, quelqu'un avait écrit, en lettres orange géantes :

La passion avant toute chose ! Et un peu plus loin, en grosses lettres mauves : *Tu me fais tourner la tête.* Et encore plus loin…

-8-

Le pouvoir des mots

— Ouf! On l'a échappé belle! répéta Alexia pour la vingt-douzième fois.

Installés dans leurs lits de fortune au sous-sol du Mégacentre des arts, les trois amis étaient encore ébranlés.

— On devrait peut-être rentrer chez nous avant de se retrouver dans un pire pétrin, suggéra timidement Eduardo. Si nos parents communiquent entre eux, ça va être la catatrophe.

— C'est vrai, admit Justin-Jacob, lui aussi démoralisé. Ça

donne quoi de rester cachés ? On ne peut rien changer.

— Mais on avait dit qu'on trouverait un plan. Pour sauver notre *spling*… plaida Alexia.

— As-tu encore trois ans ou quoi ? explosa Justin-Jacob. Tu penses vraiment qu'on est capables de démolir la mégapatate de Lola Lalancette et de reconstruire l'Extaz à la place ?

Alexia leva les yeux vers Justin-Jacob. De grands yeux verts tellement tristes que Justin-Jacob sentit son cœur fondre. À cet instant précis, il aurait donné n'importe quoi pour ramener le sourire d'Alexia. En observant ses deux amis, Eduardo se demanda soudain s'il n'y avait pas… peut-être… quelque chose entre eux. Mais le moment était trop critique pour se perdre en considérations amoureuses. Il fallait prendre une décision.

Les enfants se tournèrent vers mademoiselle Charlotte. Elle semblait très occupée à fouiller dans son sac en poil d'éléphant. Elle choisit finalement un livre et en commença la lecture.

Eduardo s'approcha.

— L'idée de sauver notre *spling*, c'est très… louable, mais peut-être pas très réaliste, non ? commença-t-il.

Mademoiselle Charlotte l'ignora. Elle tourna une page de son livre, l'air totalement absorbée par sa lecture.

— Youhou ! On est là ! lança Justin-Jacob d'une voix plus forte.

Mademoiselle Charlotte leva tranquillement les yeux.

— On… on pense que c'est mieux de laisser tomber… bredouilla Alexia.

— On voulait savoir ce que… euh… vous en pensiez, poursuivit Justin-Jacob.

Mademoiselle Charlotte scruta chacun des enfants de son regard bleu.

— Je pense que la planche à roulettes, ce n'est peut-être pas SI important dans votre vie…

Justin-Jacob, Eduardo et Alexia eurent l'impression d'un choc. Un peu comme si mademoiselle Charlotte avait prononcé des paroles magiques. Des centaines d'heures de prouesses, de plaisir et d'amitié à l'Extaz leur revinrent d'un coup. Les enfants sentirent un courant d'énergie les fouetter.

— Non ! C'est faux ! protestèrent-ils d'une même voix.

— Vraiment ? Vous en êtes bien sûrs ? demanda calmement mademoiselle Charlotte.

— Oui, déclara Justin-Jacob d'une voix ferme. On veut faire quelque chose, mais on n'a pas vraiment de plan. On n'est pas habitués à penser comme ça... Vous n'auriez pas... euh... une petite idée ?

Mademoiselle Charlotte déposa son livre et prit le temps de réfléchir. Puis, elle dit simplement :

— Les mots m'ont souvent sauvé la vie. Ils sont parfois très puissants.

Alexia et Justin-Jacob échangèrent un regard découragé. Comme s'ils pouvaient se sortir du pétrin juste avec des mots. Comme si, avec de simples lettres, on pouvait reconstruire les rampes de pratique et les demi-lunes de l'Extaz.

Mais les paroles de mademoiselle Charlotte avaient ébranlé Eduardo. Il avait l'impression d'y comprendre quelque chose.

Il songea aux phrases de *spling* qu'ils avaient tracées sur les tuiles du plancher. À l'effet de certaines de ces phrases sur lui. Et sur d'autres personnes sans doute aussi. Il songea aux paroles de ses chansons préférées et à celles qu'il composait en secret dans un petit carnet. Avec des mots, on peut surprendre, faire rire, faire peur, émouvoir, convaincre... Mademoiselle Charlotte avait peut-être raison.

— Écoutez-moi. J'ai un plan ! annonça-t-il tout à coup.

-9-

Une petite horreur poilue

Debout au beau milieu de son mégabureau, Lola Lalancette tapait du pied en hurlant comme une enfant. Elle était férocement furieuse.

Son père venait de lui confier la petite horreur poilue qui lui servait de chien. Comme si elle n'avait pas déjà été assez éprouvée !

Gros Dino. Quel nom idiot ! Pour un chien si laid, si nul. Et bâtard, en plus. Si au moins son père avait choisi un animal de race pure. Un chien chic, d'allure noble, au lieu de cette minable chose.

Au fond d'elle-même, Lola Lalancette savait très bien qu'un autre chien n'aurait rien changé. Elle détestait les animaux. Tous les animaux. Petits ou gros. Chiens, chats, lézards, kangourous, perroquets, koalas... En vérité, Lola Lalancette détestait tout ce qui bougeait. Même les humains.

Si elle avait réussi dans la vie, c'était uniquement grâce à son père. Depuis qu'elle était toute petite, Lola Lalancette demandait à son papa de satisfaire tous ses caprices. Enfant, elle lui réclamait des caisses de bonbons et de jouets. Maintenant, elle le suppliait d'utiliser son pouvoir pour faire des pressions. Des pressions auprès du maire pour lui obtenir le poste de directrice du nouveau Mégacentre des arts. Des pressions auprès des journalistes pour qu'ils diffusent le portrait-robot des trois délinquants dangereux qu'elle détestait tant. Et encore et encore des pressions.

Parfois, très rarement, son papa lui demandait une petite faveur, toujours la même : garder son précieux chien. Lola ne pouvait refuser. Et ça l'enrageait !

Gros Dino s'était blotti dans un coin. Il avait peur de Lola. Il avait aussi très soif et très faim. Alors il jappa, de sa plus gentille voix, espérant que Lola s'occuperait de lui.

— Tais-toi, espèce de tache ! lui lança Lola en décrochant le téléphone pour répondre à un appel.

C'était le maire. Son patron ! La veille, Lola avait exigé qu'il congédie la nouvelle concierge et fasse disparaître des planchers toutes les phrases stupides qui y étaient barbouillées. Or, le maire informait maintenant Lola que les employés avaient signé une pétition pour que rien ne change. Ces phrases les ensoleillaient ! Voilà ce qu'ils disaient.

Lola raccrocha, encore plus furieuse. Elle se tourna alors pour engueuler Gros Dino, histoire de se défouler un peu, mais – catastrophe ! – le chien de son père avait disparu.

▲ ▼ ▲

Justin-Jacob, Eduardo et Alexia avaient longuement réfléchi et discuté avant de noircir des tas de feuilles de papier. Ils recommencèrent souvent, cherchant les mots justes, les phrases parfaites. Une fois leur mission accomplie, mademoiselle Charlotte se proposa comme factrice, un métier qu'elle avait déjà exercé.

Sur le chemin du retour, après avoir livré un précieux document au journal *Ça Presse*, mademoiselle Charlotte eut une pensée pour toutes les tuiles qui n'avaient pas été nettoyées et une petite gêne monta en elle. Mais presque aussitôt, elle songea à ses trois amis et une brusque joie l'envahit.

Mademoiselle Charlotte esquissa un pas de danse et, parce que ça ne lui suffisait pas, elle embrassa la première personne qu'elle rencontra.

C'était Lola Lalancette, suivie de deux policiers. Mademoiselle Charlotte ne la reconnut pas, bien sûr, puisqu'elle ne l'avait jamais vue. Elle laissa derrière elle une femme en furie, totalement indignée par tant de familiarité.

Dix pas plus loin, l'étonnante concierge s'arrêta net devant une vitrine remplie d'appareils électroniques. Il y avait là une série de téléviseurs diffusant la même image : un portrait-robot des trois jeunes délinquants dangereux !

▲▼▲

Pauline Pressée, journaliste-vedette à *Ça Presse*, poussa un profond soupir. Elle était épuisée et en panne d'idée. Elle n'avait pas encore trouvé le sujet de sa chronique du lendemain et voilà que sa secrétaire venait de lui apporter une montagne de courrier.

Elle jeta un œil rapidement sur quelques enveloppes, de plus en plus découragée, lorsque l'une d'elles, qui n'était pas timbrée, attira plus particulièrement son attention. Au-dessus de son nom, quelqu'un avait écrit une petite phrase qui piqua sa curiosité : *Tout est encore possible*. Elle ne put s'empêcher d'ouvrir cette enveloppe en premier.

Pauline Pressée lut la lettre d'une traite. Lorsqu'elle eut fini, un sourire flottait sur ses lèvres. Elle venait enfin de trouver le sujet de sa chronique. Mais avant, elle devait chercher un mot dans le dictionnaire. Un mot qu'elle ne connaissait pas. Qu'elle n'avait jamais vu, lu ou entendu : le mot *spling* !

-10-

Trois délinquants très dangereux

De retour au sous-sol du Mégacentre des arts, mademoiselle Charlotte découvrit un chien minuscule, à peine plus grand qu'une main, courant parmi les enfants.

— Regardez ! Il est tellement petit. Et c'est un chien adorable ! s'exclama Alexia, sans remarquer que leur vieille amie était troublée.

Comme pour le prouver, Gros Dino pencha un peu la tête et esquissa une sorte de sourire-grimace.

Les enfants racontèrent à mademoiselle Charlotte comment ils l'avaient recueilli. Il y avait eu un bruit de klaxon et des crissements de pneus. Ils étaient accourus à la grille d'aération et c'est là qu'ils avaient découvert une toute petite chose poilue fonçant à pleine vitesse vers eux. Le pauvre animal terrorisé avait failli se faire écrabouiller par un gigantesque camion. Les enfants avaient soulevé la grille pour le laisser entrer.

— Il est drôlement doué. Regardez ! dit Eduardo à mademoiselle Charlotte.

Avec des gestes de dompteur de lion, Eduardo fit marcher Gros Dino sur ses pattes de derrière puis rouler sur lui-même et tendre une patte. C'était vraiment drôle à voir !

Mademoiselle Charlotte rit de bon cœur.

— Qu'est-ce qu'on fait maintenant ? demanda Justin-Jacob.

— Rien. Il faut attendre de voir si notre plan fonctionne, soupira Alexia en caressant son compagnon à quatre pattes.

— Et si on partait en voyage plutôt ? offrit mademoiselle Charlotte.

À ces mots, Gros Dino vint frotter sa tête contre les chevilles de mademoiselle Charlotte, l'air de dire qu'il approuvait tout à fait.

▲▼▲

— Viens voir ton papi, mon beau Gros Dino chéri ! Allez ! Viens ! répétait Louis Lalancette en cherchant son chien dans le vaste bureau de sa fille unique.

Au bout d'un moment, il commença à s'inquiéter. D'habitude, Gros Dino était fou de joie de retrouver son maître. Il fonçait sur lui, sautait comme une puce, se roulait sur le dos, battait des pattes très vite et agitait sa queue encore plus rapidement. Pourquoi donc se cachait-il maintenant ?

Monsieur Lalancette découvrit soudain un message à son intention sur le bureau de sa fille.

Cher papa,

Je suis partie à la recherche de notre cher Gros Dino. À mon avis, il a été kidnappé par les trois délinquants dangereux qui rôdent dans le quartier. Je m'étais absentée quelques secondes seulement pour faire pipi. Pardonne-moi, mon beau papa chéri...

XXX

Ta fille dévouée

Lola

▲▼▲

Justin-Jacob, Alexia et Eduardo voyageaient depuis des heures déjà.

Et pourtant, ils n'avaient pas quitté le sous-sol du Mégacentre des arts ! Mademoiselle Charlotte les avait emmenés loin, très loin, en leur inventant des histoires sur mesure. Des histoires parfaites pour eux.

Dans l'une d'elles, un jeune qui ressemblait drôlement à Justin-Jacob participait au premier grand championnat mondial de planche à roulettes. Il y réussissait son célèbre bond du dragon devant une foule en délire pendant que des photographes et des *caméramans* venus des quatre coins de la planète immortalisaient son exploit.

Dans une autre, un jeune auteur qui rappelait beaucoup Eduardo osait expédier à Yan Bigman, son guitariste préféré, le texte d'une chanson qu'il avait composé. Et Yan Bigman lui annonçait que son groupe allait l'interpréter à son prochain spectacle dans la plus grande salle de Paris. Le jeune auteur y était d'ailleurs invité, toutes dépenses payées, avec sa famille au complet. Même ses six frères et sœurs !

Dans une autre encore, une petite fille qui avait bien des points en commun avec Alexia trouvait enfin le courage d'exprimer à ses parents son souhait le plus précieux. Elle leur confiait que rien au monde ne la rendrait plus heureuse que de passer une heure avec les deux. Et ils acceptaient. Le jour de son anniversaire en plus !

Mademoiselle Charlotte n'avait pas encore tout à fait terminé cette dernière histoire. Elle en était aux détails de la fête lorsque la porte du sous-sol s'ouvrit avec fracas.

— Les voilà ! Arrêtez-les ! hurla Lola Lalancette aux policiers qui l'accompagnaient.

-11-

Sauver son *spling*!

— Attendez ici pendant que je téléphone à vos parents, ordonna le sergent Serge Sérieux.

Justin-Jacob, Eduardo et Alexia sentirent leur cœur se ratatiner en imaginant la honte et l'inquiétude de leurs parents. Assis dans un des corridors du poste numéro 33, les trois amis se demandaient quelle nouvelle catastrophe allait maintenant leur tomber sur la tête.

Au lieu de les remercier d'avoir sauvé son petit chien, Louis Lalancette les avait traités de voleurs de chien et de mécréants, un mot dont seul Eduardo connaissait la définition. Les enfants avaient tenté de se défendre, mais Lola Lalancette ne les avait pas laissés finir une phrase. Elle parlait sans arrêt en prenant un malin plaisir à les accuser de tous les maux de l'humanité.

Et ce n'est pas tout ! Peu après l'arrivée de Lola Lalancette, suivie de son père et des policiers, dans le sous-sol du Mégacentre des arts, un événement troublant s'était produit : mademoiselle Charlotte avait disparu ! Les enfants n'y comprenaient rien. Il leur semblait impossible que leur amie les abandonne ainsi. Et pourtant...

Le sergent Sérieux allait composer le numéro de téléphone du père d'Alexia lorsque le hall d'entrée du poste numéro 33 fut envahi par un bruyant troupeau de journalistes. Ces derniers étaient accompagnés d'une étrange dame en robe bleue avec un drôle de chapeau sur la tête.

— Où sont-ils ? demanda Raoul Rumeur, le journaliste de Télé-Nation.

— Je veux la primeur ! glapit Solange Saitout, reporter à OGPT.

— Non. C'est moi ! cria un autre journaliste en brandissant un micro de la taille d'une batte de base-ball.

La pauvre réceptionniste du poste numéro 33 ne savait plus où donner de la tête. Chacun des journalistes réclamait une entrevue exclusive avec les trois enfants qui faisaient la manchette du journal *Ça Presse*.

La chronique de Pauline Pressée était consacrée aux jeunes planchistes qui lui avaient écrit une lettre « d'une authenticité[2] troublante ». Les trois amis s'étaient d'abord excusés d'avoir démoli l'immense buffet lors de la cérémonie d'inauguration du Mégacentre des arts. « Nous n'avions pas réfléchi. C'était idiot et nous sommes sincèrement désolés », avaient écrit les enfants.

Par la suite, ils expliquaient leur colère en dénonçant la démolition de l'Extaz, « un lieu important où tous les planchistes pouvaient se défouler, s'exprimer et créer ». Pauline Pressée en profitait pour émettre l'idée que la planche à roulettes était peut-être bel et bien une forme d'expression artistique.

Mais la cerise sur le *sundae*, c'est qu'à la fin de son article, la

2. Eduardo dut expliquer à ses deux amis la définition de ce mot.

journaliste-vedette de *Ça Presse* reprenait la suggestion des trois jeunes planchistes. « L'immense sous-sol du Mégacentre des arts, avec ses hauts plafonds et son plancher de ciment, devrait être transformé en parc de planche à roulettes ! » écrivait-elle.

Pendant que le sergent Sérieux prêtait main-forte à la pauvre réceptionniste, Justin-Jacob, Eduardo et Alexia dévoraient l'article. C'est mademoiselle Charlotte qui leur en avait donné une copie. Elle était réapparue comme par enchantement, en même temps que les journalistes. À croire que c'était elle qui les avait entraînés là !

Mademoiselle Charlotte remit également une copie de *Ça Presse* au sergent Sérieux, une autre à Louis Lalancette et une autre encore à sa fille Lola. Dès la première ligne, Lola Lalancette devint rouge de colère. Puis mauve et verte. C'était d'ailleurs très drôle à voir.

— Les voilà ! hurla tout à coup Solange Saitout en découvrant les enfants au fond d'un des corridors.

La meute de journalistes se précipita aussitôt vers le trio. Ils voulaient tout savoir d'eux.

Alexia leur raconta qu'elle avait récemment baptisé sa planche à roulettes Germaine. Eduardo leur confia que son nouveau mets préféré était les spaghettis à l'orange et au beurre d'arachide, une recette de mademoiselle Charlotte.

Raoul Rumeur – qui n'était vraiment pas gêné ! – demanda à Justin-Jacob s'il avait une amoureuse. Le regard de Justin-Jacob glissa malgré lui vers Alexia. Cette dernière, qui n'avait rien perdu de la scène, sentit son cœur faire un tour d'ascenseur.

Heureusement, au même moment, mademoiselle Charlotte intervint pour recommander à ses jeunes amis de communiquer avec leurs parents. Elle espérait de tout cœur que ces derniers aient raté le portrait-robot.

Le sergent Sérieux ne savait plus s'il devait traiter les trois planchistes en malfaiteurs ou en héros. Il suggéra aux enfants de le suivre dans son bureau. Ils pourraient au moins appeler leurs parents.

— Non ! Attendez ! cria alors Louis Lalancette, suivi d'une mademoiselle Charlotte radieuse et d'une Lola à la mine défaite.

Il s'approcha des enfants en repoussant les journalistes, visiblement sûr de lui, comme tous les gens terriblement importants.

— Mademoiselle et messieurs, commença le puissant homme d'affaires en s'adressant aux enfants. Ma fille jure que vous avez kidnappé mon chien, et cette charmante dame, mademoiselle… euh… Charlotte, affirme que vous avez sauvé la vie de mon cher Gros Dino. Alors, si vous le permettez, nous allons faire un test.

Louis Lalancette déposa Gros Dino entre les trois amis et sa fille unique. En apercevant Lola Lalancette, Gros Dino se mit à grogner comme s'il était devant l'abominable homme des neiges. Mais en reconnaissant ses trois amis, il fonça sur eux, tout heureux, sauta comme une puce, se roula sur le dos, battit des pattes très vite et agita sa queue encore plus rapidement.

Le test était parfaitement concluant. Pendant que la présidente-directrice générale du Mégacentre des arts s'arrachait les cheveux, furieuse d'avoir été démasquée, Louis Lalancette se confondait en excuses auprès des enfants. Il allait leur demander plus d'informations sur leur projet de parc intérieur lorsque le sergent Sérieux interrompit la conversation.

Il réclamait Alexia. Son papa et sa maman venaient de téléphoner en même temps !

Épilogue

Justin-Jacob, Eduardo et Alexia s'attendaient à être privés de télé pendant au moins une année ou à perdre tout droit de sortie pour le reste de leur vie. Grâce à la lettre qu'ils avaient écrite et sans doute aussi un peu grâce à Gros Dino, ils n'eurent rien à subir de tout cela.

Lola Lalancette retira sa plainte. Quant à son père, il offrit aux enfants son aide pour faire avancer leur projet de parc au sous-sol du Méga-centre des arts.

Justin-Jacob, Eduardo et Alexia obtinrent de leurs parents la permission de rendre visite à mademoiselle Charlotte, mais jamais la nuit, uniquement en début de soirée. Ils l'aidaient à nettoyer les tuiles de plancher et elle leur racontait des petits bouts de sa vie et de ses différents métiers. Le temps passait toujours très vite, car les histoires de mademoiselle Charlotte n'avaient vraiment rien d'ordinaire. Souvent, même, les enfants se surprenaient à penser que mademoiselle Charlotte venait peut-être d'une autre dimension ou d'une lointaine planète.

Un soir, les trois amis découvrirent une lettre punaisée à la porte du sous-sol du Mégacentre des arts. Mademoiselle Charlotte avait écrit :

Chers chers chers amis,

J'ai le cœur en compote à l'idée de vous quitter. Mais je dois retrouver ma précieuse Gertrude.

Je sens aussi que quelqu'un m'attend quelque part. Je ne sais pas où. Et je ne sais pas qui. Mais je dois écouter cet appel.

N'oubliez jamais que je vous aime très fort et que je suis immensément fière de vous. La prochaine fois que vous serez très en colère ou frustrés, rappelez-vous mon truc pour survivre à tout.

Souvenez-vous aussi que souvent tout est encore possible. Et lorsque vous vous élancerez entre sol et ciel sur votre planche à roulettes, sachez que mon cœur est avec vous.

Je vous souhaite tout le spling *du monde.*

XXX
Mademoiselle Charlotte

Quelques mois plus tard, Justin-Jacob, Eduardo et Alexia assistaient à l'inauguration du parc Spling dans le sous-sol du Mégacentre des arts. Tous les enfants invités purent déguster des spaghettis à l'orange et au beurre d'arachide et il paraît que ce jour-là, Justin-Jacob osa déposer un léger baiser sur la joue d'Alexia.

Ah oui ! J'oubliais… Le lendemain du départ de mademoiselle Charlotte, les employés du Mégacentre des arts découvrirent une phrase dansante, une phrase ensoleillée, peinte en lettres géantes dans le hall d'entrée : *Fixe ton étoile et ne te retourne plus*.